文／品學堂創辦人、《閱讀理解》學習誌總編輯　黃國珍

許多。事實上，「態度」是這次新課綱中影響個人最深的素養，因為「態度」終究影響一個人的行為。電影《奇蹟男孩》故事開展和想探討的問題，圍繞在影片開始不久後，出現的一句西方諺語：「當你要在正確與仁慈之間做抉擇，選擇仁慈。」這選擇的結果固然是一種價值觀，但其過程是一種態度，一份願意不受限於眾人觀點，以更為開放、包容與同理的態度來面對世界和自己。

　　一個人的技能與知識能夠培養，態度也可以，但是需要許多啟發內心的故事與真實心靈對話。這本《晨讀10分鐘：你的獨特，我看見》以「看見差異」作為選文和引導反思的核心概念，其目的就是想讓年輕讀者，跳脫原有的生活視角和經驗世界，去經歷他人可能被標籤化的身分或困境，體會不曾有過的感受，同理在角落與內心中萌生的力量，進而從個人到社會，延伸到對世界的關懷，體悟並思考個人和萬物間，所有表象差異背後，各自獨有的價值和相生共存的道理，建立面對自身外界的態度而寫。

　　給予下一代優質的學習內容，是品學堂與親子天下共同的目標。讓孩子擁有接軌未來的素養，發展個人並參與、回饋這個世界，讓未來更美好，是我們共同的願景。期待透過我們共同合作的新版《晨讀十分鐘》系列，能帶給孩子閱讀的樂趣、發現的喜悅，並啟發積極正面的態度，面對學習與生活的挑戰，以態度決定你是誰。

格外品

▼ 問題一 〔擷取訊息〕

（　）「格外品」一詞源自於日本，請問它的意思是什麼？

① 品質格外出色的優良品
② 不符合市場規格的產品
③ 海外生產的高級舶來品
④ 特別訂做的客製化商品

▼ 問題二 〔統整解釋〕

（　）莫妮卡「拿起一根小黃瓜，比了一下鼻子」，這個動作有什麼涵義？

① 顯示心態的成長轉變
② 象徵父母的肯定鼓勵
③ 對格外品的珍惜愛護
④ 暗喻外界的流言蜚語

問題三 〔統整解釋〕

( ) 通篇文章看完，作者想表達的意涵是什麼？

1. 相由心生，內心善惡決定一切
2. 隨遇而安，順應外在世界改變
3. 惜物愛物，珍惜資源簡樸生活
4. 接納自己，不完美才獨一無二

問題四 〔統整解釋〕

( ) 格外品特別營養好吃，帶給我們的啟示是什麼？

1. 應懂得挑選蔬果的標準
2. 珍惜有限土地萬物資源
3. 勇於承擔各種批判言論
4. 外表無法評斷內在價值

問題五 〔省思評鑑〕

( ) 關於本文的寫作手法，何者最正確？

1. 詳述真人實事記錄事件
2. 提供科學數據強化主張
3. 藉由故事隱喻人生智慧
4. 感性文字抒發個人經驗

用手走路的發明王

> **問題一** 〔統整解釋〕

（　）根據文章，劉大潭在聽完親戚的話以後，立下三大目標，突顯其哪方面的人格特質？

① 積極進取
② 腳踏實地
③ 寬宏大量
④ 慷慨助人

> **問題二** 〔統整解釋〕

（　）根據文章，劉大潭如何在三十歲以前實現人生的三大目標？

① 意志堅定，勇於實踐
② 處事圓融，多方交際
③ 貴人提供學費補助
④ 團結親友們的力量

問題三 〔擷取訊息〕

( )劉大潭的機械發明屢獲外界肯定，其設計的共同出發
點為何？

①便利
②關懷
③節能
④創新

問題四 〔統整解釋〕

( )劉大潭為了幫助更多弱勢者，成立了庇護工廠。根據
文章內容，庇護工廠的精神為何？

①提供更好的醫療服務
②提供技術指導與教育
③贊助製造機械與設備
④提供專業的諮詢服務

在愛裡，我逆著光飛翔

> **問題一** 〔擷取訊息〕

（　）黃裕翔雖然雙眼全盲，為什麼他仍覺得快樂、幸福？

1. 家境富裕，衣食無虞
2. 母親全心呵護關愛
3. 琴藝精湛，天賦異稟
4. 學校生活充實愉快

> **問題二** 〔統整解釋〕

（　）黃裕翔對自小時候被嘲笑「青暝」（瞎眼）後媽媽給他的安慰，以及大學生活失意時與學長阿吉的一席話，有什麼共同的體悟？

1. 找到避開同儕獨處的方式
2. 珍惜生活微小確實的幸福
3. 學會轉念調整自己的心態
4. 感受社會現實與生存困難

 問題三 〔統整解釋〕

(　)文章中哪一段話最能說明本文主旨？

1 聲音，是我認識世界最重要的途徑

2 只要勇敢踏出去，就有無限多種可能性

3 叫我演什麼都可以，但就是不要叫我演哭戲，因為我哭不出來呀

4 一般人可能認為這真是一種悲劇；但絕大多數的時候，我都覺得我是快樂、幸福的

 問題四 〔省思評鑑〕

(　)下列哪一段話採用與本文相同的寫作視角？

1 我走在伸手不見五指的黑暗空間裡，壓不住內心的恐懼

2 當哈利一走進霍格華茲，五花八門的魔法世界讓他看傻了眼

3 提姆‧庫克是美國知名企業家及專業經理人，現任蘋果公司的執行長

4 北部某中學昨日驚傳校園暴力事件，九年級學生集體鬥毆，校方澄清只是打鬧玩過頭

 問題五 〔省思評鑑〕

黃裕翔在大一時，曾發生下課後被孤零零留在教室的事件。根據文章對此事件的描述，你覺得被安排幫助黃裕翔的同學沒有確實完成黃媽媽的請託是否合理？請說明你的理由。

我的 11 年移工青春

 問題一 〔擷取訊息〕

根據文章，Liena 想出國工作的原因為何？

 請作答

 問題二 〔統整解釋〕

（　　）為什麼 Liena 在來臺灣工作前，會選擇到阿拉伯工作？

1. 宗教信仰相同
2. 距離印尼較近
3. 收入更為豐富
4. 可去麥加朝聖

 問題三 〔統整解釋〕

文中 Liena 遇到了什麼事情，突顯了「黃國珍的閱讀理解」
解析中所說的族群之間的差異，所造成的不理解？

 問題四 〔省思評鑑〕

（　　）本文透過第一人稱視角想突顯何事？

① 外籍移工與你、我同為人類

② 詳述作者的工作經驗與境遇

③ 為閱讀專家的詮釋作為背書

④ 介紹與增加文章內容可信度

爭取兩性平權

問題一 〔統整解釋〕

（ ）根據文章，為什麼艾瑪‧華森說自己擁有特權？

1 曾主演《哈利波特》系列電影
2 被聯合國任命為女性親善大使
3 在成長過程受到較平等的待遇
4 因為倡導女權主義而聲名遠播

問題二 〔統整解釋〕

艾瑪‧華森為什麼會邀請男性參與「HeForShe」運動？

問題三 〔統整解釋〕

（ ）為了使更多男性參與「HeForShe」運動，請問艾瑪‧華森在演講中說了什麼？

1 解釋女權主義的定義與迷思
2 分享其受不平等待遇的經驗
3 引用兩性同工不同酬的數據
4 說明性別光譜以及多元性別

12

問題四 〔統整解釋〕

( ) 文章中哪一句話可以回應愛德蒙·伯克的說法？

① 我可以肯定的說，全世界沒有任何一個國家的女性全然擁有這些權利，沒有任何一個國家已經做到性別平等

② 無論是男性或女性，都應該可以自由的表現出他們的纖細敏感或堅強。我們應該把性別視為一道光譜，而非對立的兩端

③ 當我感到遲疑時，我告訴自己：「捨我其誰？更待何時？」如果你在機會來到面前時，也有這樣的疑惑，希望這句話對你有幫助

④ 只要開始以真實面貌來定義自己，而非世俗的那一面來彼此認定，我們都會變得更自由，這就是「HeForShe」的宗旨，它的真諦就是自由

問題五 〔省思評鑑〕

( ) 請問下列何者符合「HeForShe」的精神？

① #MeToo 運動

② 我 OK，你先領

③ 護理師正名運動

④ 「Fridays For Future」全球罷課日

子王

問題一 〔統整解釋〕

（ ）根據作者兒子的行為表現，這個疾病對他造成何種障礙？

① 語言理解與表達能力障礙
② 肢體協調與行動能力障礙
③ 情緒管理與憤怒調節障礙
④ 突發抽動症狀與溝通障礙

問題二 〔統整解釋〕

（ ）作者曾試圖在醫院走廊遺棄兒子，但又衝回去尋找他，最根本的原因是什麼？

① 回想起自己初為人父時的喜悅
② 深怕受到社會大眾的道德譴責
③ 聽到年幼兒子焦急的呼喚父親
④ 擔心兒子重演自己經歷的焦慮

問題三 〔統整解釋〕

（　）文章多次提到「你膽敢擾亂宇宙嗎？」作者想用宇宙表達什麼意涵？

① 脫離常軌的混亂生活
② 對抗罕見疾病的無奈
③ 身為父親的甜蜜負荷
④ 兒子未知的心智世界

問題四 〔統整解釋〕

（　）文章標題「子王」有什麼意義？

① 表示兒子彷彿童話主角一樣天真爛漫
② 表示父親永遠以兒子為王，甘心臣服
③ 表示自己就像童話的國王，尊貴耀眼
④ 表示家庭關係如同統治王國一樣複雜

問題五 〔省思評鑑〕

（　）作者在文章中穿插許多括號文字，有什麼作用？

① 補述內心獨白
② 注釋專有名詞
③ 提供客觀說法
④ 總結段落重點

越南女兒・臺灣母親

問題一 〔統整解釋〕

（　）下列哪一句話最符合本篇文章前兩段的敘述？

1. 滿面風霜
2. 披荊斬棘
3. 淚眼婆娑
4. 盲婚啞嫁

問題二 〔擷取訊息〕

（　）文章第三段提到陳凰鳳父母的想法，是為了說明哪種觀念？

1. 家庭教育的重要
2. 學校教育的影響
3. 社會教育的幫助
4. 終身學習的價值

( )　陳凰鳳提到「準備祭拜牲禮」、「同輩之間直呼姓名」
　　　兩個案例，用意為何？

　　　❶ 欠缺相互包容的能力
　　　❷ 分享擔任志工的辛勞
　　　❸ 強調傳統信仰的重要
　　　❹ 突顯文化差異的衝突

( )　早期臺灣的跨國婚姻，公婆總是希望媳婦不要被認出
　　　是外籍配偶的外部原因是什麼？

　　　❶ 媒體報導的汙名化　　❷ 跨國婚姻的特殊性
　　　❸ 文化衝突的磨合期　　❹ 教養子女的掌控權

( )　下列哪一個新聞標題，與「外籍新娘 20 萬」的廣告
　　　犯了同樣的錯誤？

　　　❶ 林俊傑周杰倫雙 J 合體唱《算什麼男人》
　　　❷ 全臺 Women 動起來，新住民姊妹漫步在森林
　　　❸ iPhone 12 爆貴，果粉哀號
　　　❹ 開公司營收上億，小鮮肉爆紅

街頭俱樂部

❯❯ 問題一 〔擷取訊息〕

（　）根據阿明的觀察，為什麼這幾年越來越多像讀書人的
面孔成為街友？

①　少子化問題日益嚴重
②　現代家人間感情疏遠
③　個人缺乏專業的技能
④　年輕人的抗壓性不足

❯❯ 問題二 〔統整解釋〕

（　）阿明原本想依賴觀照園，為何又回到街頭？

①　已經習慣了在街頭自由的生活
②　他的身分不符合收容機構規定
③　阿明想要尋求自力更生的機會
④　短期安置限制與人口環境複雜

問題三 〔統整解釋〕

(　) 阿明為什麼要提到德國地鐵站？

① 以國際街友政策對比臺灣現況
② 說明已開發國家政府輔導成果
③ 強調建立社會庇護機構必要性
④ 呈現各國都有街頭流浪者問題

問題四 〔統整解釋〕

(　) 阿明以什麼原則，提出改善街友問題的方案？

① 人性本善
② 人盡其才
③ 適者生存
④ 公平公開

拓跋斯・塔瑪匹瑪

 問題一 〔統整解釋〕

（　）文中烏瑪斯說了一個猴子討論搬家的故事，作者透過故事要表達的是什麼？

❶ 強調人類無法與大自然搏鬥
❷ 突顯獵人經驗豐富見多識廣
❸ 說明天地萬物長久共生法則
❹ 暗示生存環境受到人為破壞

問題二 〔擷取訊息〕

（　）烏瑪斯為什麼反對禁獵？

❶ 打獵是部落傳承多年的文化儀式
❷ 打獵可以賺取收益維持家庭開銷
❸ 打獵是原住民青壯年的生活習慣
❹ 打獵有助於森林自然生態的平衡

問題三 〔統整解釋〕

(　　) 烏瑪斯對林務局成立自然保護區,抱持怎樣的態度?

❶ 贊成,可以避免人類開發破壞
❷ 贊成,可以增加當地觀光收益
❸ 反對,砍伐森林反而造成浩劫
❹ 反對,土地劃設侵占部落領地

問題四 〔統整解釋〕

(　　) 在本文結尾,為什麼眾人提到「法律」時,不約而同的大笑?

❶ 諷刺執法單位的腐敗與雙重標準
❷ 無奈於既有生活與文化遭到剝奪
❸ 嘲笑老巫婆故事不合時宜的突兀
❹ 暗示法律意涵與他們所知的不同

死牢下的倖存者

 問題一 〔擷取訊息〕

請問徐自強為什麼會被捕入獄？

 問題二 〔統整解釋〕

（　　）徐自強以自身經驗，描述法庭有人旁聽及無人旁聽的
差別，主要用意何在？

❶ 呈現司法其實與生活息息相關
❷ 強調民眾關心可影響司法品質
❸ 提供一般大眾接觸法庭的途徑
❹ 說明目前司法改革的責任歸屬

問題三 〔統整解釋〕

（ ）根據前後文，以下哪項條文較可能是《刑事妥速審判法》內容？

1. 補償經費由國庫負擔
2. 審判中之羈押期間，累計不得逾八年
3. 受害人死亡者，法定繼承人得請求補償
4. 搜索應保守祕密，並應注意受搜索人之名譽

問題四 〔統整解釋〕

（ ）徐自強轉述兒子對他的看法，有什麼用意？

1. 說明冤獄對生命的深遠影響
2. 讓讀者感受家庭溫暖的重要
3. 呈現重新適應社會的困難處
4. 強調出獄以後對自由的渴望

問題五 〔統整解釋〕

（ ）通篇文章看完以後，你認為作者想要傳達的主旨為何？

1. 藉由徐自強的案例，提醒大家親情的可貴
2. 藉由徐自強的案例，警惕人們歹路不可行
3. 藉由徐自強的案例，說明臺灣冤獄的現況
4. 藉由徐自強的案例，喚起司法改革的關心

我的大改人生

問題一 〔擷取訊息〕

（ ）使張進益踏上歧途的原因為何？

1 受到好朋友影響
2 被貼上負面標籤
3 一時好奇心驅使
4 因貧困尋求出路

問題二 〔統整解釋〕

（ ）本文提到哪些事件突顯張進益戒毒的困難？

A. 哥哥的逝世　　　B. 母親的眼淚
C. 監獄的黑暗生活　D. 重新求職的挫折

1 AB
2 BD
3 ABD
4 ABCD

問題三 〔擷取訊息〕

(　) 張進益創立「大改樂團」的動機是什麼？

① 協助飛行少年找回正軌
② 回饋戒毒診所昔日幫助
③ 協助少年之家增加募款
④ 為了得到巡迴表演機會

問題四 〔統整解釋〕

(　) 請問下列哪一句話與本文要傳達的態度最相符？

① 路見不平，拔刀相助
② 己所不欲，勿施於人
③ 出來混的，終究要還
④ 知錯能改，善莫大焉

小黃之城

問題一 〔省思評鑑〕

（ ）在文章第一段，作者透過什麼寫作手法來表達他對父親的關懷？

① 聽覺摹寫　　　② 藉物抒情

③ 側面烘托　　　④ 象徵手法

問題二 〔統整解釋〕

（ ）為什麼作者在路上看見父親，卻盡可能閃躲？

① 不想打擾父親工作　② 擔心影響交通安全

③ 吵架冷戰拉不下臉　④ 顧及父親的自尊心

問題三 〔統整解釋〕

（ ）作者為什麼喜歡夜晚？

① 城市白天景象太過刻板無趣

② 夜間加成能讓父親收入更多

③ 夜晚是父親返家休息的時間

④ 從車窗能欣賞城市霓虹夜色

問題四　〔擷取訊息〕

（　　）作者搭乘父親的計程車時，為什麼總是保持沉默？

1 維持主顧的關係，以負擔車費
2 避免情感化成言語使父親困窘
3 父女平日相處時間不多而尷尬
4 雙方結束了一天工作都已疲累

問題五　〔統整解釋〕

（　　）下列哪一項，最符合本篇父親與女兒的相處模式？

1 相敬如賓，輩分分明　　　2 自由開放，溝通傾聽
3 內斂寡言，互相關懷　　　4 個性互斥，關係緊張

問題六　〔統整解釋〕

（　　）作者為什麼刻意提到鐘錶上的時間？

1 顯示事件快速進行
2 節省人物對話篇幅
3 暗示作者缺乏耐性
4 表現父親漫長工時

人與土地

問題一 〔擷取訊息〕

（　）作者離家以前，為什麼從土地得到的只是一股怨恨的情緒？

① 全家只有自己耕田，差別待遇
② 農夫身分被全班同學嘲笑看輕
③ 沒有時間讀書，成績因此下滑
④ 童年勞動經驗太累，痛苦想逃

問題二 〔擷取訊息〕

（　）作者曾用什麼方式表達自己對務農的厭惡？

① 接收西方文學、藝術等現代主義的刺激
② 用功念書，主動留校學習拖延返家時間
③ 號召志同道合的朋友，創立學術性社團
④ 離家出走學習木匠手藝，追求經濟獨立

（　）攝影如何改變作者對土地的看法？

❶ 攝影工作常年在外奔波，反而更思念家鄉

❷ 思考拍攝聚焦的對象，回頭檢討成長過程

❸ 與拍攝人物的交談，了解自己的童年困境

❹ 透過捕捉畫面的光影，學會珍惜自然資源

（　）下列哪個選項最能表示作者從小至今與土地的關係？

❶ 崇拜→埋怨→和解

❷ 逃避→埋怨→無視

❸ 埋怨→逃避→和解

❹ 崇拜→埋怨→逃避

為什麼作者說自己的攝影工作「只是自私的行為」？

等待一朵花的名字

問題一 〔擷取訊息〕

（　）作者為什麼要等待一朵花的名字？

① 野花似曾相識，回想起童年往事
② 關懷濱海生態以傳達保育的觀念
③ 因田野調查工作須詳實記錄內容
④ 對路邊陌生野花產生喜愛與好奇

問題二 〔統整解釋〕

（　）作者在文中描寫阿婆與他的互動，產生了什麼效果？

① 表達受寵若驚的心情
② 對照他人的冷漠態度
③ 預留伏筆以推展故事
④ 反映隔代教養的問題

問題三 〔統整解釋〕

(　　) 根據文中描述，野花為什麼叫做「垃圾花」？

　　❶ 野花沒有實際的用途
　　❷ 昔日社會缺乏審美觀
　　❸ 過去語言發展未成熟
　　❹ 野花野草的普遍稱呼

問題四 〔統整解釋〕

(　　) 為何作者最後會說「等待一朵花的名字」不是浪漫的？

　　❶ 不滿因社會發展使生態遭破壞
　　❷ 擔憂年輕新世代缺乏文學想像
　　❸ 感慨自己關懷的事物不被重視
　　❹ 後悔對無用事物浪費太多時間

問題五 〔統整解釋〕

(　　) 請問作者在文中關心的議題為何？

　　❶ 地方歷史的紀錄與保存
　　❷ 人與土地的互動和情感
　　❸ 人性的複雜與不可預期
　　❹ 珍惜不可逆的珍貴時光

眾神

⌄ 問題一 〔統整解釋〕

（　）為什麼村裡的陌生人知道伯父與作者的關係後，便會特別關心作者？

　　❶ 伯父創造工作機會，改善生活
　　❷ 伯父劫富濟貧，縮小貧富差距
　　❸ 伯父出外經商賺錢並回饋鄉里
　　❹ 伯父帶領老弱婦孺躲避戰火

⌄ 問題二 〔統整解釋〕

（　）作者伯父的故事反映了傳統社會的哪個特點？

　　❶ 家庭環境不會影響個人日後發展
　　❷ 傳統農村與現代都市的知識落差
　　❸ 地方傳奇故事常被作為口述歷史
　　❹ 村民對個人貢獻的感念時間長遠

 問題三 〔統整解釋〕

(　　) 作者為什麼要在文章中提到劉瑾?

1. 依據社會學者的研究結果分析個案
2. 與前述《紅樓夢》觀後感相互對照
3. 他與臺北萬華有地緣關係,具親切感
4. 舉傳統戲曲角色為例證,強化其論述

 問題四 〔統整解釋〕

(　　) 根據本文,應如何解釋「眾神」的由來?

1. 在科學不發達的時代,人們將萬物都賦予神性
2. 西洋宗教經典傳入中國,融合東方神話的結果
3. 人們將人性的良善擴大,為生活帶來正向力量
4. 朝廷祭祀對社稷有重大貢獻者,後普及到民間

問題五 〔統整解釋〕

請問作者在本文中經營哪兩種群體的比較?

一首莊嚴的安魂曲

問題一 〔擷取訊息〕

（　）為什麼作者選擇用閱讀來治療喪父之痛？

❶ 逃避現實世界，拒絕面對　❷ 尋求同理安慰，抵禦悲傷
❸ 鑽研哲學經典，參透生死　❹ 頓失生活重心，排遣時間

問題二 〔統整解釋〕

（　）作者為什麼兩度描寫父親閱報的窸窣之聲？

❶ 對比醫院鴉雀無聲　❷ 表現時間一去不返
❸ 反映作者心境變化　❹ 刻劃父親沉穩性格

問題三 〔統整解釋〕

（　）作者描寫陳連長和父親的情誼有什麼作用？

❶ 寄託今昔已非昨日的感慨
❷ 痛心父親因病而神智不清
❸ 表達彌補父親愧歉的願望
❹ 帶出他記憶中父親的形象

問題四 〔統整解釋〕

（ ）作者為什麼認為與父親的訣別是「沉默」的？

① 父親性格寡言不愛說話　② 父親病後已無法自我表達
③ 父親遭逢意外驟然去世　④ 作者父子冷戰至父親過世

問題五 〔統整解釋〕

（ ）作者閱讀〈生死〉前後的心境變化為何？

① 從愧疚悔恨到歡欣喜悅　② 從擔憂疑懼到平靜釋然
③ 從悲痛欲絕到從容以對　④ 從憤恨難解到心如槁木

問題六 〔統整解釋〕

（ ）「但願所有我們因未知而心生擔憂恐懼的黑暗，都會
是最深沉的酣睡」，這裡所指的「未知」，對經歷喪
父之痛的作者而言，最可能是什麼？

① 不知父親生前是否留有遺憾
② 不知應如何放下喪父的情緒
③ 不知道父親病情惡化的程度
④ 不知自己今後應該何去何從

別了，海濱

❯ 問題一 〔省思評鑑〕

（ ）根據本文，請問林白夫人所謂的「身外世界不斷擴展」，和哪個效應所說的現象最接近？

① 蝴蝶效應
② 月暈效應
③ 鄰避效應
④ 羊群效應

❯ 問題二 〔統整解釋〕

（ ）根據本文，在全球性的宏觀思想下，我們身處兩難困境時，大多採取什麼行動？

① 重視個人作為以符合道德規範
② 傾向談論大眾卻逃避自身問題
③ 忽視個人的意見轉而順從權威
④ 壓抑自身想法而服膺傳統觀念

 問題三 〔統整解釋〕

（　）為何林白夫人特別在文中以「女人」的例子來做說明？

　　❶ 彰顯女人是家庭中最重要的成員

　　❷ 認為女人是能關注到個體的代表

　　❸ 肯定女人能夠孕育新生命的價值

　　❹ 突顯女人有良好的解決問題能力

 問題四 〔統整解釋〕

（　）根據本文，作者認為在全球性的宏觀思想下，我們應該怎麼做？

　　❶ 注重國際未來的發展並向大眾提供建議

　　❷ 給予人道義務協助解決全球性災難問題

　　❸ 保持折衷妥協的心態並接受他人的逃避

　　❹ 應重新關注現況以及每個生命的獨特性

愛生哲學

問題一 〔統整解釋〕

（　）作者如何說明其「愛生哲學」？

❶ 先說明「生」的內涵，再說明「愛生」的內涵

❷ 先說明「哲學」內涵，再說明「愛生」的內涵

❸ 先說明「愛」的內涵，再說明「生」的內涵

❹ 先說明「生」內涵，再說明「哲學」的內涵

問題二 〔統整解釋〕

（　）為什麼作者認為一切真理與道德的基礎都在「生」字？

❶ 有生命才能與他人產生人際關係，有人際關係就會有道德問題

❷ 有生命才有心靈，有心靈才有智慧，有智慧才能討論真理道德

❸ 有生命才會有欲望與情感，欲望與情感需要有真理與道德指引

❹ 有生命才能驅動肉身，擁有真理道德讓人的肉身別於其他動物

問題三 〔擷取訊息〕

（　）根據本文，「愛生哲學」是指每個人應擁有什麼樣的
信念？

①　透過追求真理來滿足自己對於生命的基本渴望

②　愛惜自己、他人、環境與己之情，並發展心智

③　肯定上帝對世間萬物的愛，視祂為人生的真理

④　排斥貪婪、貪汙的行為，為人應該要維持清廉

問題四 〔擷取訊息〕

（　）根據本文，如何讓一個人的「貪」消失？

①　讓他了解大自然與哲學的關係

②　讓他接受藝術文化的涵養薰陶

③　讓他自由的做任何旁人認為是奇葩的行為

④　讓他認知到自己能夠感受、給予及接受愛

《莊子·齊物論》選

問題一 〔擷取訊息〕

（　）根據本文，莊子認為「成心」和「是非觀」的關係為何？

❶ 先有成心後有是非觀　　❷ 兩者沒辦法同時存在

❸ 是非觀導致成心產生　　❹ 兩者間並無任何關聯

問題二 〔統整解釋〕

（　）根據本文，莊子對於儒墨之間的爭論，表達了什麼樣的看法？

❶ 雙方明顯存在著優劣之分　❷ 駁斥儒墨學說為是非不分

❸ 衝突是因彼此的成心所致　❹ 每家之言皆有其可取之處

問題三 〔統整解釋〕

（　）請問下列何種解決爭執的方法，最有機會達成「莫若以明」？

❶ 以公開方式做選擇，服從多數支持的一方

❷ 因雙方立場是相對的，哪方勝出都有道理

❸ 請雙方闡述自己的觀點，理解彼此的立場

❹ 請公正的第三方聽完雙方意見後加以裁決

問題四 〔統整解釋〕

( ) 在原文第二、三段當中，莊子不斷提出正反兩面的疑問句，請問這樣的書寫手法，具備何種意義？

① 前句為激問，實是否定意思；後句則作肯定解

② 利用接連不斷的質問句，增添文章雄辯的氣勢

③ 藉莊子之筆，表達出多數人民內心普遍的疑惑

④ 表達這些爭論的概念無法片面的被認定有或無

問題五 〔統整解釋〕

( ) 在《莊子‧秋水》中，海神向何伯說：「以物觀之，自貴而相賤：以俗觀之，貴賤不在己。以差觀之，因其所大而大之，則萬物莫不大；因其所小而小之，則萬物莫不小。」這段話可與本文中的哪一句話相呼應？

① 「道隱於小成，言隱於榮華。」

② 「樞始得其環中，以應無窮。」

③ 「未成乎心而有是非，是今日適越而昔至也。」

④ 「物無非彼，物無非是。自彼則不見，自知則知之。」

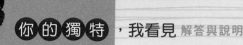

格外品

問題一　解答 ②

在文章中，農夫市集的老闆提到：「臺灣有三成的蔬果被列為『格外品』，也就是不合乎市場的規格，被淘汰下來的蔬果。」。故答案選（2）。

問題二　解答 ❶

作者一開始提及莫妮卡對自己的鼻子感到自卑，在認識格外品、懂得接納不完美的道理以後，她不在意蔬果的賣相，和媽媽說：「沒關係，好吃就好。」可看出她從自卑心理到自我認同的心態轉變，顯見成長的動態過程。

問題三　解答 ④

作者藉由莫妮卡認識賣相不佳的蔬果格外品，跳脫以往對外表自卑的想法，重新認識自己的特質、接納自己的不完美，了解到「人生就不會永遠只有一個方向，也不會每個人都必須長成某一個樣子」，才能發現自己獨一無二的美好。

問題四　解答 ④

格外品是指外表賣相不佳、不符合外界標準的蔬果，但更加營養好吃，意指我們應破除刻板印象，別用外表美醜來評斷任何生命的內在價值，故答案選（4）。

問題五　解答 ③

作者藉由小女生莫妮卡的見聞，將想表達的觀點寄託在故事當中，隨著情節的描述，讓觀眾對文章主旨有越來越清晰的理解，更能體會作者想表達的人生智慧，故答案選（3）。

用手走路的發明王

> **問題一** 解答 ❶

在相關段落中，可以找到以下描述：「……這番刻薄話還是讓他非常受傷……哭了一陣子，他越想越不甘心，擦乾眼淚……不想向命運低頭……就算全世界都放棄他，他也不會放棄自己。」可以看到劉大潭沒有因為別人的言語傷害就一蹶不振，反而立下在三十歲以前要達到的三個目標，這樣的精神與「積極進取」比較符合。

> **問題二** 解答 ❶

劉大潭形容自己的性格：「敢想、敢要、敢得到」，原本父母不送他去上小學，但他意志堅定，死纏爛打懇求父母。上高工時經濟困難，半工半讀仍堅持完成學業；求職時因身障遭遇近兩百家公司否定，他仍堅持並把握機會，積極表現，全力以赴；婚事遭遇女方家長反對，他也沒有輕言放棄。各項例子都顯示劉大潭是個意志堅定、即使面對困難也不屈不撓達成目標的人。

> **問題三** 解答 ❷

文章中提及：「除了高空緩降機，劉大潭的幾項重要發明，例如『耐高溫橢圓蝶閥』與『微電腦六通閥』，都是基於『關懷』這個出發點而設計的，前者是為了解決空氣汙染問題，後者則是為了節省水資源，避免超抽地下水引起地層下陷。」顯見他的發明設計皆以關懷社會為出發點，故答案選（2）。

> **問題四** 解答 ❷

在「關懷，是發明的初衷」段落中，提到庇護工場創立的原因以及功能。創立庇護工場是為了幫助相似處境的人，並提供工作培訓。因此答案為（2）。

在愛裡，我逆著光飛翔

問題一　　解答 ②

文章中提及：「我之所以能夠擁有快樂的能力，是因為我有一個很堅強，而且很愛我的母親。」母親對他全心全意的照料與呵護，讓他在愛裡成長，大多數時候都覺得自己是快樂、幸福的。

問題二　　解答 ③

黃裕翔小時候被同學嘲笑，媽媽的安慰讓他轉念一想：「既然這是事實，與其為別人的言語耿耿於懷，還不如學著接納自己。」上大學後他被同學排擠，學長阿吉的話同樣點醒了他：「在這個過程中，我慢慢領悟了『境隨心轉』的道理，當我願意用開朗、誠懇的態度擁抱這個世界時，自然就會吸引更多人來親近我。」故答案選（3）。

問題三　　解答 ②

黃裕翔儘管在母親的關愛呵護下成長，從小到大仍不免因為身體的缺陷面臨許多困難。對姊姊的虧欠、求學時被同學嘲笑、學藝的不成文門檻、大學生活的「震撼教育」等，每當他遇到困境，都不斷學習轉念，以積極的心態面對，並勇敢跨出第一步，才能創造意想不到的成果。選項（2）的描述最符合本篇意旨，鼓勵人們積極勇敢面對困難，才能創造無限可能。

問題四　　解答 ①

本篇作者以第一人稱方式寫作，以「我」為出發點，常見運用在自傳、文學小說的主角口吻，故答案選（1）。其餘選項皆以第三人稱旁觀的角度，忠實描述或理性報導事件。

問題五　　解答 》

請參考文內「大一的震撼教育」段落。本題沒有絕對的正確答案，請依文章情境與個人觀點作答。

參考答案：合理，因為沒有人規定一個人必須幫助其他人。
　　　　　不合理，因為如果不願意幫助黃裕翔，也應該提前說明。

我的 11 年移工青春

問題一　　解答 »

正確答出與「家境貧窮」相關答案。

文章第二、三段中提及，Liena 的家境貧困，父母由於訴訟纏身，時常向人借錢打官司，家中常有人上門催討債務，使她產生了想出國工作，協助貼補家用的念頭。

問題二　　解答 ❶

文章第三段中提及，在父親得知 Liena 想去臺灣後，因為擔心臺灣並非是伊斯蘭教國家，可能讓 Liena 無法遵守穆斯林的規範，所以不肯讓 Liena 去臺灣。在第四段 Liena 談到自己第一次出國工作的國家是阿拉伯，可以得知 Liena 選擇到阿拉伯工作，應是因為阿拉伯和印尼的「宗教信仰相同」。

問題三　　解答 »

正確答出與「雇主的親友要雇主不要對 Liena 太好」相關答案。

文章中提到，儘管雇主一家人都對 Liena 很好，雇主的親戚仍將 Liena 視為外人，並「勸告雇主不能對 Liena 太好」。從文中也可看出，那位親戚認為 Liena 不懂中文，加上對她的族群的不理解，進而說出讓 Liena 感到難過的言論。

問題四　　解答 ❶

使用第一人稱視角「我」敘述，可以塑造作者正在與讀者對話般的效果。透過這種近距離式的書寫，突顯出作者想要營造與讀者的親切與親密感，更能彰顯出「外籍移工與你、我同為人類」的概念，故選項（1）最為適合。

爭取兩性平權

問題一　解答 ③

艾瑪·華森於演講中說：「我的人生，卻像是享有某種特權一樣。」緊接著再提到，沒有因為她是女生，父母就比較不愛她、學校就限制她的發展。換句話說，也代表她在成長的過程，並沒有因性別而受到不公平對待。

問題二　解答 ⨠

正確答出與「男性也未獲得性別平等的待遇」、「兩性都應該被平等對待」、「願意關注性別平等議題的男性較少」、「較於女性，男性有更大的權力」相關答案。

艾瑪·華森提到希拉蕊·柯林頓知名的女權演說，現場的男性聽眾不到30%。她也見過男性受到「成功男性」這個形象所苦。且男性身為這個社會比較得利的一方，投入運動的數量越多，對於改善現況也更加有利。綜合以上歸納，艾瑪·華森邀請男性參與「HeForShe」運動，是因為男性也沒有獲得性別平等的對待、願意關注性別平等的男性少，或是男性擁有比較大的權力。

問題三　解答 ①

艾瑪·華森在演講前段花了許多篇幅在解釋女權主義的定義，以及自己身為一位女權主義者希望追求的事情，更對於外界對女權主義的誤解進行說明。因此可以理解艾瑪·華森為了讓更多男性參與運動，她「解釋女權主義的定義與迷思」。

問題四　解答 ③

艾瑪·華森引用愛德蒙·伯克：「只要好人袖手旁觀，邪惡的一方就能得勝。」要強調的是在了解性別議題之後，自己就有責任把握機會，站出來發聲，否則下次改變的機會可能是在幾十年後。此句話也和她演講中說：「當我感到遲疑時，我告訴自己：『捨我其誰？更待何時？』如果你在機會來到面前時，也有這樣的疑惑，希望這句話對你有幫助。」與呼籲眾人把握機會的精神互相呼應。

問題五 解答 ❶

選項（1）是由美國好萊塢部分女性影視從業人員發起，勇敢指控男性的性騷擾，呼籲影視業內的性別平等，運動隨後也蔓延到國內外的各群體與產業，符合「HeForShe」精神。

選項（2）為臺灣面對新冠病毒疫情時口罩控管的宣傳標語，與性別平等無關。

選項（3）為護理從業人員所發起，呼籲大眾以「護理師」一稱取代掉過往較不尊重的「護士小姐」稱呼，期許護理師的專業能夠受到應有的重視。

選項（4）為瑞典少女格蕾塔‧桑伯格所發起，她於每週五前往瑞典國會抗議，要求其政府重視全球氣候變遷的問題。運動隨後也蔓延到國內外的各學生團體，形成了全球性的集體氣候訴求。

子王

問題一 解答 ❶

作者兒子被診斷罹患高功能自閉症，醫生說明了諸多病徵，兒子則在文章中展現了沒有明確的主客體概念，無法理解物體與語言的關係，表達能力與社交能力也有限。然而肢體行動能力不受影響，沉默寡言但情緒平穩，也沒有抽動症狀，故答案選（1）。

問題二 解答 ❹

作者試圖遺棄兒子的當下，心裡充滿各種複雜的情緒，回想起自己小時候也曾經歷過在陌生環境找不到父親的恐懼焦慮，成為他日後的心理陰影。如今，像自己血肉一般的兒子也在重演這段回憶，便割捨不下，故答案選（4）。

問題三 解答 ❹

作者多次在文章中用「洪荒」、「宇宙」、「小王子的星球」等詞來形容兒子的世界，無論是小王子的童話星球，或是宇宙銀河的中心點，都是人類未知的世界、充滿各種想像，如同作者對自己兒子心智思想的未知，無法透過語言探詢，只能猜測想像，故答案選（4）。

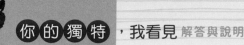

你的獨特，我看見 解答與說明

問題四 解答 ②

閱讀完文章，我們可以看見作者身為一位自閉症孩童的父親，從「王子：我是沒有疆土與權杖的國王，他是國王的兒子」，變成「子王：以兒子為王，身為父母必定是你的臣、你的民，只能心甘情願臣服」的心境與意義轉換，故選項（2）最符合標題「子王」的意義。

問題五 解答 ①

作者在本文多次以括號文字表現內心獨白，例如：（唉，跑過多少機構做鑑定，換一紙入學許可）、（喔，我已經是別人的父親，我血裡的血、肉裡的肉），稍微跳脫原本的陳述方式，以口語式獨白強化個人主觀情感，讓讀者能進一步體會身為父親的幽微心情，故答案選（1）。

越南女兒‧臺灣母親

問題一 解答 ②

文章前兩段描述從陳凰鳳剛到臺灣時，面對外籍新娘待價而沽、遭受歧視的衝擊，到為了保護孩子不受歧視，要比一般人付出更多的努力，方能消弭文化差異，融入臺灣社會，歷經十六年，她克服種種困難，從一個相夫教子的越南媳婦，成為在大學開班授課的講師。「披荊斬棘」比喻在前進道路上清除障礙，克服重重困難，最符合她的生命歷程，故答案選（2）。

問題二 解答 ①

文章第三段提及陳凰鳳的父母都是順化古城人，長年的皇城文化薰陶，讓他們格外重視禮節與道德，且認為這是家庭教育的一部分，不能等到學校教育、社會教育才開始，故答案選（1）。

48

問題三　　解答 ④

這兩個案例雖然是陳凰鳳分享在臺灣擔任志工的所見所聞，但她的用意並不是為了批判案例主角缺乏包容心，也沒有進一步說明志工的工作內容與辛勞之處，更不是為了宣揚傳統信仰在民間社會的重要性，而是透過婆媳之間與姑嫂之間的兩個案例，說明不同文化背景成長的人有不同生活習慣與語言隔閡，容易因小事產生嚴重的誤會與衝突。

問題四　　解答 ①

文章第八段提及：「早期臺灣對新住民的跨國婚姻沒有信心，加上媒體報導讓社會認為娶外配的男人社會地位低、找不到老婆，公婆總是希望媳婦趕快融入臺灣，不要被認出是外籍配偶」，可見傳播媒體對新住民跨國婚姻的偏頗報導，形成刻板印象，影響外界看待外籍配偶與其家人的眼光，導致公婆普遍不希望媳婦被認出外籍配偶的身分。

問題五　　解答 ④

「外籍新娘 20 萬」的廣告是用她的身分取代她作為「人」的個體，並且當成一個買賣標的物，用數字來定價，物化身體並忽略她的自由意志。這種情形，也可能發生在男性身上，例如選項（4），用收入「營收上億」與外貌身材「小鮮肉」來標籤化事業有成的年輕男性，也是常見的案例。

街頭俱樂部

❯❯ 問題一　　解答 ③

從「阿明的街友觀察心得」段落中可以看到，阿明發現有越來越多「看起來像讀書人的面孔，也加入了無家可歸的街友行列」、「他隱約覺得這些人過去從事的職業，大部分是非專業的服務業……但一超過二十五歲，老闆就想要下一批二十、二十五歲的年輕人」，可知街友學歷升高、年齡下降，是因為很多人從事的行業不需要太多專業能力，所以容易被其他更年輕的人取代，而失業成為街友。

❯❯ 問題二　　解答 ④

SARS 疫情期間新北市街友被集中至林口安置，隔年成立觀照園。阿明卻因為收容所人口背景複雜，造成生活環境讓人難以適應，加上短期安置的期限，又再度回流到社會。故選（4）。

❯❯ 問題三　　解答 ①

阿明先提到德國留學生分享的地鐵站案例與德國政府作法，藉由前後兩者的差異，對比德國管理政策與臺灣街友現況，故選項（1）為最佳解答。

❯❯ 問題四　　解答 ②

阿明認為街友很多都具備工作能力，只是因為大環境失業問題流落街頭，如果政府相關單位可以放寬管制、提供適當的工作機會，例如進駐捷運站，定點販賣雜誌兼任維安人力、開闢街友人才專區等，臺灣的街友或許就能有更具尊嚴的生活方式。

拓跋斯‧塔瑪匹瑪

問題一　解答 ④

猴子的故鄉被炮聲、車聲、汽油味、鋸木聲入侵，人為開發破壞了牠們的棲地且斷絕了食物，所以被迫一直搬遷，故選（4）。

問題二　解答 ④

烏瑪斯認為獵人屬於森林，是整個生態的一部分，而非外來的入侵者。森林糧食是固定的，一旦動物過度生殖反而破壞生態的平衡，獵人適當的打獵可以減少動物量多為患、自相殘殺的情形，禁止打獵反而違反自然，故選（4）。

問題三　解答 ③

文章中烏瑪斯認為林務局設立自然保護區，美其名是為了復育生態、防止獵人濫殺，實際上卻砍伐原始森林，這種行為反而是在破壞動物家園。過度砍伐樹木也讓土地失去涵養水分的能力，導致洪水浩劫一再發生。透過烏瑪斯的言談與作者的描述，可以知道作者對於這件事是抱持反對的立場，故選（3）。

問題四　解答 ②

笛安自認為屬於等級高的生命，卻因為強加的法律標準而成為「低等生命」。「他笑得比他們更痛快，也許是笑法律為什麼那麼神奇，笑自己被看不見的力量網住，失去在森林掙扎的勇氣，笑自己是巫婆口中的低等生命。」法律之前本該人人平等，作者在此處特別描寫高比爾扮起歧視的表情掃視眾人，也許暗示了無奈於既有生活與文化遭到剝奪。

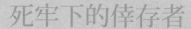

死牢下的倖存者

問題一　　解答 >>

正確且完整答出與「涉入一九九五年臺北建商黃春樹綁架撕票案」、「被懷疑是綁架撕票案的共犯或主謀」相關答案。

根據文章第二段：一九九五年九月一日發生臺北大直建商黃春樹遭綁架撕票，徐自強被指稱為這個案件的「同夥」甚至是「主謀」。

問題二　　解答 ②

徐自強根據自身經驗提出，透過有無民眾旁聽的對比，可能造成法官庭訊態度的差異，藉此強調民眾對司法的關心，可有效監督或影響司法品質。司法改革其實不是一件遙遠困難的事，每個人都可以從提升自己對司法的關心開始，為公平正義做出一點貢獻，故選（2）為正確答案。

問題三　　解答 ②

選項（2）出自《刑事妥速審判法》第 5 條。文中提到速審法通過和徐自強出獄有關，可藉此推論因為徐自強被羈押的時間超過速審法規定的八年上限，故被釋放。選項（1）、（3）分別出自《刑事補償法》第 34 條及第 11 條。選項（4）出自《刑事訴訟法》第 124 條。

問題四　　解答 ❶

藉由徐自強出獄後的行為與心理展現，說明冤獄對個體生命的影響極為巨大，除了在死亡與翻案之間反覆的心理掙扎，還涵蓋家庭親情、社會生活與個人自由的斷絕，對生命造成長遠且不可逆的影響。

問題五　　解答 ④

文章從徐自強面對生死的心理掙扎、失去的光陰與親情、對公平正義的存疑到重獲自由的社會適應，再再強調冤獄對一個無辜生命的影響，是沉重且不可逆的。透過徐自強第一人稱的主觀描述，讓讀者產生共鳴與同理心，進一步喚起對司法改革的關心，避免冤獄受害者再度出現，故選項（4）為最佳答案。

我的大改人生

問題一　　解答 ❷

文章中提及張進益「受哥哥的『盛名』之累,他也被師長貼上『壞孩子』的標籤……每次跟同學起衝突,無論對錯,被重罰的一定是他……幾次之後,他開始憤世嫉俗,覺得乾脆走哥哥那條路還比較『神氣』」,故選(2)。

問題二　　解答 ❶

文中描述張進益兄弟是彼此最信任的人,兩人感情極其深厚,哥哥的死亡帶給張進益極大打擊,他嘗試振作,但還是不敵毒品的誘惑,讓他再次墮入深淵。他注射毒品時,即使看著母親落淚心如刀割,但毒癮還是讓他不由自主、六親不認。

問題三　　解答 ❶

根據本文倒數第三段:「為了讓孩子們發洩精力、穩定情緒,也為了讓他們找到價值感,二〇一二年,張進益成立『大改樂團』,給孩子們學習樂器,並帶著他們到學校、監獄去巡迴演出。」

問題四　　解答 ❹

本文主角從逞凶鬥狠、勒索吸毒到浪子回頭,現在擁有穩定的生活並獻身公益,故選項(4)為最佳答案。

小黃之城

問題一　解答❶

本文第一段以各種狀聲詞來描寫作者父親早起時的聲響，屬於聽覺摹寫，故選（1）。

問題二　解答❹

作者在路上巧遇父親開著計程車攬客失敗的畫面，父親挫敗的神情、養家的辛酸歷歷在目，但作者為了顧及父親的顏面、不希望在子女面前示弱的心情，所以選擇閃躲。

問題三　解答❸

作者在文中提到：「坐了一陣子父親的夜車之後，我才學會欣賞這座不夜城；不夜城遮掩赤裸的白日，父親早起出門掙錢的聲音不曾在夜間響起，所以我真的愛夜。」故正確答案為選項（3）。

問題四　解答❷

文章最後描述作者父親因長時間開車產生職業傷害，卻不顧醫囑好好休息，為了家計仍一大清早就開車上路。作者看在眼裡雖然不捨，但卻擔心自己在少數與父親相處的時光中，將積累已久的情感脫口而出，反而傷害了父親。

問題五　解答❸

通篇文章看完，儘管可以發現父女彼此體貼照顧的心意，但都是透過專車接送、買宵夜等情節呈現，父女之間並沒有太多的對話，車內短暫共處的時間也大多沉默以對，故選項（3）為最佳解答。

問題六　解答❹

作者在文中兩次提及實際時間：「我看了錶，十一點五十五分，距離他早上五點鐘離家已經超過十九個小時。」、「外頭的月光折射到室內的壁鐘上，十二點三十八分，距離父親早起出門開車只剩下四個半鐘頭。」兩次都換算成父親離家工作的時數，呈現父親漫長工作的辛勞。

人與土地

問題一　　解答 ④

作者提及：「我們家的七兄弟姊妹，每個人都吃足了勞動的苦頭，從小就是農夫。我厭惡這個身分，努力的想洗去這個父母加在我身上的可恥印記。」加上頂著烈日暴雨在礫石翻土的痛苦經歷，讓他咒詛那片貧瘠的土地與自己的不幸身世，故選（4）。

問題二　　解答 ①

作者為了逃避小農夫的身分，在學校裡偽裝體面的出身與談吐，透過大量閱讀課外書籍、創作前衛的抽象畫，接觸西方現代主義的文學藝術，藉以追求個人精神上的想像與自由，作為對傳統與現實生活的逃避，故選項（1）為最佳答案。

問題三　　解答 ②

攝影讓作者開始質問自己：你看到的東西對你有什麼意義？唯有思考鏡頭下被拍攝者的意義，畫面才具有生命。在拍攝與思考的過程中，作者發現最終吸引自己的主題還是農村、稻田、土地和勞動的人們，在每張殷實工作的臉孔中看見人性最真誠良善的一面，也重新感受土地的溫暖與寬容，讓作者檢討自己的成長過程，與童年的勞動夢魘和解，故選（2）。

問題四　　解答 ③

作者童年時被迫下田勞動，產生對土地的埋怨與厭惡；求學時期為了逃避現實與反叛傳統，大量吸收西方現代主義文學藝術；最終透過攝影主題反思自己的成長過程，重新感受土地的溫暖與包容，與之和解，故選（3）。

問題五　　解答 >>

正確且完整答出與「作者的作品只拍出個人重生經驗，並未呈現土地與農民面臨的各種問題」等相關答案。

作者在文章最後幾段描述他透過攝影，重新找回土地對自己的意義，並且將這段和解重生的過程化為照片，呈現他對土地的敬畏與感動。但這段期間臺灣的農業也面臨許多問題，例如汙染、剝削等，使人與土地的關係逐漸改變，但他的攝影卻未關注這些問題，因此他說自己十三年來的攝影工作只是自私的行為。

等待一朵花的名字

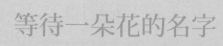

問題一 解答 ④

作者被野花的美麗與令人憐愛的氣質吸引，同時對周遭雜草如數家珍，唯獨對野花完全陌生感到心有不甘，急著想要知道野花的名字，故選（4）。

問題二 解答 ②

在探詢花名的過程中，作者先後遇上中學生、青年人與騎車小姐，不僅沒有得到答案，受到漠視的程度還越來越嚴重，可見現代人對陌生人充滿防衛的心態。只有阿婆停下來回話，甚至三度邀約一個素未謀面的陌生人前往家裡做客，藉此突顯過去單純、好客的人情味，對照出現代人的冷漠，故選（2）。

問題三 解答 ①

根據文章倒數第三段，在過去臺灣的農業社會「有誰遊手好閒，不事生產，還要占人便宜的人，就叫做『垃圾人』。那一朵美麗的花，之所以叫做『垃圾花』，也是同樣的道理吧。」故選（1）。

問題四 解答 ③

野花美麗迷人的姿態與生動的生命力，是最貼近土地與當地環境的存在。探問花名的過程，也隱現作者對現代民眾忽略生活周遭的感嘆。最後雖然得知花名，但對垃圾花毫無用途的震撼，再加上騎車女子的辱罵，彷彿嘲諷作者對垃圾花的喜愛（也就是對在地環境的關懷）是全然無用的，才讓作者有此感慨。

問題五 解答 ②

從作者被路邊的野花吸引、對雜草如數家珍，可以看出他對環境的關懷。再從出場人物的安排，漸漸鋪陳出現代人對自身周遭環境的冷漠。直到祖孫二人出現，才找回過去社會熱情純樸的氛圍。作者思索「垃圾花」的花名時的思維，又帶出他對於社會的關懷。

眾神

問題一 解答 ❶

作者提及伯父與同學們「放假的時候，他們由城裡回到鄉下，面對那些村人，就慫恿大家聯合起來辦一座小工廠」，這座工廠讓當地村民有了工作、經濟好轉，生活得以改善，故選（1）。

問題二 解答 ❹

作者的伯父其實在他出生之前就已經過世，但伯父的名字仍不斷跟隨著他，對村子的貢獻事蹟也不斷被人提起，顯見地方居民對個人貢獻的感念是代代相傳、時間久遠的，銜接到作者在下文提及地方眾神的宗教觀緣起，故選項（4）為最佳答案。

問題三 解答 ❹

根據本文倒數第二段：「連京戲《法門寺》中的劉瑾，人們都不曾忘記他做的唯一善事，也許就不會奇怪民間的神那麼多了。」作者以劉瑾為例，強調民間信仰眾神的合理性，故選（4）。

問題四 解答 ❸

現實條件越不佳，人們越需要一份支援的力量來面對生活掙扎。於是將某個人突破苦難的美德、善行、受人感念的事蹟發揚光大，發展出神格化象徵，並代代相傳成為地方信仰。

問題五 解答 >>

正確且完整答出與「願意付出的人、只顧自己的人」相關答案。

文章末段提到，許多人離開自己的家鄉，雖然希望能出人頭地，卻不知道如何實踐，於是抱怨生不逢時，責怪世界。與前文所述為鄉里付出的伯父、照顧世人的眾神形成對比，藉此引導讀者進行省思。

一首莊嚴的安魂曲

問題一　解答 ②

作者在父親往生之後，大量閱讀治療喪父之痛的作品：「他們用書寫重新建構起父親在他們心中的永恆形象，以及試圖用書寫抵抗悲傷的姿態，在許多重要時刻安慰了我的心靈」。由此可知，作者透過閱讀有相同經歷的作品，從中獲得安慰以及抵禦悲傷的力量。

問題二　解答 ③

作者透過聲音摹寫反映其心理的變化，在今昔回憶兩相對照下，父親閱報的窸窣之聲從讓作者酣睡的安心之聲，變成父親病情惡化的警示之聲，帶給作者強烈的不安。

問題三　解答 ④

作者描述陳連長的段落不只是呈現其人格特質，這些段落皆夾雜陳連長對作者父親的評價和兩人的互動，因此作者是藉由這樣的內容，呈現出他記憶中父親的形象。

問題四　解答 ②

文中提到：「父親自從因跌倒住院後，除了前幾天神智不清的叫錯我和弟弟名字之外，就沒再清楚的與我們說過話了。」可知作者難以得知父親在最後的日子裡究竟在思考什麼、有什麼遺憾，因此認為父親的訣別是沉默的。

問題五　解答 ②

作者在閱讀陳映真的〈生死〉之前，因為無法得知父親生前在想什麼，而陷入各種猜疑和憂愁，但是在讀到〈生死〉後，藉由陳映真從病人角度書寫的文字，撫慰自己的焦慮，並以「但願我們因未知而心生擔憂恐懼的黑暗，都會是最深沉的酣睡」，讓自己釋懷。

問題六　　解答 ❶

作者在文章中提到，對於父親各種無脈絡的支離碎語他僅能不斷去猜想，這些因未知而產生的猜想，具體有父親對陳連長的愧歉、父親過去是否留有遺憾、生病後是否有難以忍受的苦痛，以及聽到佛經的反應。根據上述資訊，正確的選項應為（1）。

別了，海濱

問題一　　解答 ❶

作者在第一段中提到，今天人類社會出現了全球性的宏觀思想，身外的世界不斷在擴展當中。在同一段落中也接續著說：「遙遠的地方發生衝突或是遭遇苦難，也會在地球上的每個人身上造成迴響。」與「表面上看來沒有關係、十分微小的事情，也可能會帶來意想不到的改變」的「蝴蝶效應」概念最接近。

選項（2）「月暈效應」：人們往往以對他人的最初印象為出發點，進而推論他人的其他特質，常會有以偏概全的狀況出現。
選項（3）「鄰避效應」：當興建會造成外部成本的公共建設時，居民雖然贊同建立，但會希望離自己的居住地越遠越好，讓自己能享受到利益，而外部成本讓其他人承受。
選項（4）「羊群效應」：人們只要見到有人說了什麼、做了什麼，個人沒有先判斷對錯就跟著行動，而這樣做的人越多，就會逐漸形成群眾盲從的現象。

問題二　　解答 ❷

作者於第三段提及的兩難困境，指的是當今我們可以關心的事物，早已超出了我們心靈所能負擔的分量。而她也提到，在身處這種困境時，由於無法好好關注一個個的個體，因此將世界上的其他人都簡化成了抽象的「大眾」概念。我們也因為解決不了自身相關的問題，所以便去討論其他地方的問題。

問題三　　解答 ②

文章第九段提及，此時、此地、個人，都是女人所關心的重點。理由在於女人過去都被局限在家庭中，因此她們會去在意家庭中各個成員的獨特，以及自身身處的此時此地，而這個特質也是作者在文章後段所強調的。

問題四　　解答 ④

作者在文章中提到，我們應該重新著眼於過往被忽略的本質，也就是此時、此刻、個人。同時也強調，這樣做並不是在逃避責任，而是因為唯有先從自身的生命出發，才會有向外擴展的基礎與力量，更是了解及解決問題的第一步。

愛生哲學

問題一　　解答 ①

作者於第一段到第七段闡述他提出愛生哲學的原因，接著才於第九段到第十一段說明「生」字，生是生命，有了生命就有喜怒哀樂等情緒，也產生了心靈與智慧。第十二段到第十八段解釋「愛生」的內涵：「珍惜生命、珍惜生活，珍惜環境的哲學，是珍惜人與人的關係，人與自然的關係的哲學」、「它肯定生命的基本渴望」、「生命的基本渴望是什麼呢？就是活著的時候好好的活，死的時候好好的死」。

問題二　　解答 ②

根據第九段及第十段的敘述：「是由於有生命，才有生之欲望，才有生之恐懼，才有喜怒哀樂……這生命才知道領受生命的美好，才產生了反觀天人宇宙的心靈，並懂得它的美好……產生了心靈，而心靈終於能夠產生智慧。」可知，有了生命才有七情六欲、產生人際關係、產生心靈；有了心靈與智慧才能分別好的與壞的，也才能夠談論道德與真理。

問題三　解答 ②

歸納本文第十三段到第十六段：「珍惜生命、珍惜生活，珍惜環境的哲學，是珍惜人與人的關係，人與自然的關係的哲學」、「善其生、善其死……同時，他必須在某種程度上去發展他的心智」、「因為人是自然的一環」、「大自然，就是西方宗教觀念中所說的那個上帝……它既是創造者又是造物」、「他會開始覺得他的生命可愛了，別人的生命可愛了，大自然的一草一木可愛了，他可以不再那麼貪」，得出愛生哲學是一個人能夠愛惜所有生命，並同時發展心智，因此選項（2）較為符合。

問題四　解答 ④

根據第十六段：「要取消一切低卑的層面，其最根本的方策，就是讓人產生一點生命的驚奇……是個可以領會、可以感受、可以給予愛並接受愛的東西了……他可以不再那麼貪。」可知作者想表達的反貪哲學。

《莊子・齊物論》選

問題一　解答 ①

文章第一段即表明：如果說是非的判斷不是來自於人們原本的成見，就如同「是今日適越而昔至也」，是一種無稽之談。換句話說，莊子認為思想上形成定見後，才產生了是與非的觀念，故選項（1）較為符合。

問題二　解答 ③

原文第三段提到「故有儒、墨之是非，以是其所非，而非其所是」，說明儒墨二家的爭論，總是以己方的觀點批評否定對方，這都是因他們「隨其成心而師之」，認定自己主觀的既定價值是唯一正確的，堅持以己為是、以彼為非，使得爭論永不停休。

問題三　解答 ③

原文第四段中的「物無非彼，物無非是。自彼則不見，自知則知之」，說明了當人站在主觀的立場上時，往往看不到事物的另一面，堅持自己所看見的、否定自己不曾見的，遂造成了如儒墨之爭的事端。而莊子提出的「莫若以明」，就是讓雙方以不帶成見的心去觀察一切，看透事物的本質。

問題四　解答 ④

第二段中「夫言非吹也。言者有言，其所言者特未定也。果有言邪？其未嘗有言邪」，指出人們認為言語和風聲不同，是能傳達意義的，但反過來看，若言語指涉的意義並非固定不變，人們無法從中得到相同的共識，那言語到底存不存在呢？莊子並沒有給出肯定或否定的結論，而是為雙方提出了理由根據，一切皆因角度不同而得到不同的論斷，故選（4）。

問題五　解答 ④

海神的這段話，說明了一切貴賤、大小、是非等區別，並非事物的本質，都是人為主觀的判斷所致，不同的立場就會產生不同的判斷，因此是相對而不是絕對的。「物無非彼，物無非是。自彼則不見，自知則知之。」也同樣說明看待事物的角度，會影響所見事物的樣貌，故（4）較為符合。
選項（1）：批評當時各派的學說隱蔽了真正的大道和言語。
選項（2）：掌握了大道，就能面對一切無窮無盡的事物變化。
選項（3）：說明成見導致是非觀的產生。

項目設計｜品學堂

責任編輯｜林欣靜　特約編輯｜劉握瑜　美術設計｜丘山　行銷企劃｜葉怡伶

天下雜誌群創辦人｜殷允芃　董事長兼執行長｜何琦瑜
媒體暨產品事業群
總經理｜游玉雪　副總經理｜林彥傑　總編輯｜林欣靜
行銷總監｜林育菁　副總監｜李幼婷　版權主任｜何晨瑋、黃微真
出版者｜親子天下股份有限公司　地址｜臺北市 104 建國北路一段 96 號 4 樓
電話｜（02）2509-2800　傳真｜（02）2509-2462　網址｜www.parenting.com.tw
讀者服務專線｜（02）2662-0332　週一～週五 09:00-17:30
讀者服務傳真｜（02）2662-6048　客服信箱｜parenting@cw.com.tw
法律顧問｜台英國際商務法律事務所 羅明通律師
製版印刷｜中原造像股份有限公司
總經銷｜大和圖書有限公司　電話（02）8990-2588
出版日期｜2021 年 1 月第一版第一次印行
　　　　　2024 年 6 月第一版第五次印行
定價｜120 元　書號｜BKKCI021P

訂購服務
親子天下 Shopping　｜ shopping.parenting.com.tw
海外・大量訂購　｜ parenting@cw.com.tw
書香花園｜臺北市建國北路二段 6 巷 11 號　電話（02）2506-1635
劃撥帳號｜50331356 親子天下股份有限公司

立即購買 >

優質文本 X 深度理解

從閱讀梳理思路，培養解決問題的學習力

《閱讀素養題本》每道提問均有清楚具體的評量目標，分為「擷取訊息」、「統整解釋」、「省思評鑑」，配合詳解，能幫助讀者辨識文本重要結構，充分了解文章意涵與背後假設，並結合自身經驗提出個人觀點。期待讀者透過題目的引導，更進一步的理解選文，有效提升閱讀素養與思考探究，從而獲得面對生活各種問題的關鍵能力！

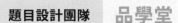

題目設計團隊	品學堂

2013 年，品學堂《閱讀理解》學習誌創刊，全力投入閱讀評量與文本的研發；以國際閱讀教育趨勢與 PISA 閱讀素養為規範，團隊設計的每一篇文本與評量組合，即為一次完整的閱讀素養學習。為孩子與教學者，提供跨領域閱讀素養教學教材及線上、線下整合的學習評量系統。

為推動全面性的閱讀素養教育，品學堂也走向教學現場，與各級學校和教育主管單位合作，持續為教師提供閱讀教育增能研習，同時為學生開辦營隊。期望讓我們的下一代能閱讀生活、理解世界、創造未來。

親子天下
Education · Parenting
Family Lifestyle

BKKCI021P　NT$120

00120

4717211028582